Am yr Awdur

Magwyd Anthony Horowitz ar straeon arswyd ac y mae'n dal i ymddiddori mewn pethau sinistr a brawychus. Pethau a digwyddiadau cyffredin bywyd bob dydd sydd wedi ysbrydoli'r straeon yn y llyfr hwn. Mae hyn yn wir am y rhan fwyaf o'r straeon yng ngweddill y gyfres. Ond y mae tro yng nghynffon pob un o'r straeon i'n hatgoffa y gall unrhyw beth ddigwydd, hyd yn oed mewn lle diogel. Dyw pethau erchyll, annisgwyl, brawychus ac iasol byth yn bell i ffwrdd.

Mae Anthony Horowitz yn awdur llwyddiannus nifer o lyfrau sydd wedi gwerthu'n dda, gan gynnwys straeon ditectif, straeon antur a straeon am ysbïwyr. Mae'r rhain wedi'u cyfieithu i dros ddwsin o ieithoedd. Mae e hefyd yn sgriptiwr teledu adnabyddus. Y mae'n un o sgriptwyr *Poirot*, *Midsomer Murders* a *Foyle's War*. Mae Anthony'n byw yn nwyrain Llundain.

'Nofelydd plant o'r radd flaenaf'
– TIMES EDUCATIONAL SUPPLEMENT

'Perffaith i ddarllenwyr sy'n hoff o ddigwyddiadau rhyfedd'
– SCHOOL LIBRARIAN ASSOCIATION

'Annisgwyl a chyffrous'
– BOOKS FOR KEEPS

Y FFÔN
YN MARW

I A. R. Claud –
Rhywbeth i gnoi cil arno.

Y FFÔN YN MARW
ISBN 978-1-904357-21-6

Rily Publications Ltd
Blwch Post 20
Hengoed
CF82 7YR

Cyhoeddwyd am y tro cyntaf gan Orchard Books yn 2000

Cyhoeddwyd yn wreiddiol yn Saesneg fel *The Phone Goes Dead*

Addasiad gan Tudur Dylan Jones

Noddwyd gan Lywodraeth Cynulliad Cymru

Cysodwyd gan Wasg Dinefwr, Llandybïe, Sir Gaerfyrddin

www.rily.co.uk

Argraffwyd a rhwymwyd yn y Deyrnas Unedig
gan CPI Cox & Wyman Ltd, Reading, Berkshire.

ANTHONY

HOROWITZ

ADDASIAD TUDUR DYLAN JONES

Y FFÔN YN MARW

Cynnwys

y ffôn yn MARW

Dyma
sut
mae
Linda James
yn marw.

Mae'n cerdded ar hyd Parc Bute yng nghanol Caerdydd ac yn sylwi fod y tywydd wedi newid. Mae lliw hyll yn yr awyr. Nid düwch y nos, ond porffor poenus storm yn agosáu. Mae'r cymylau'n berwi ac eiliadau'n ddiweddarach, daw fflach lachar wrth i fforch o fellten danio o un pen afon Taf i'r llall.

Maen nhw'n dweud na ddylech chi wneud dau beth mewn storm. Y cyntaf yw na ddylech chi wneud galwad ffôn. Yr ail yw cysgodi o dan goeden. Mae Linda James yn gwneud y ddau. Wrth i'r glaw ddechrau disgyn, mae'n rhedeg o dan ganghennau derwen anferth, yna mae hi'n chwillo yn ei bag llaw a thynnu ffôn symudol allan.

Mae'n deialu rhif.

'Huw,' meddai. 'Dwi ym Mharc Bute.'

Dyna'r cyfan mae'n ei ddweud. Daw fflach arall o fellten, a'r tro hwn caiff Linda ei tharo ar ei phen.

Rhed 75,000 folt o drydan drwyddi, yn cael eu trosglwyddo drwy'r ffôn i'w hymennydd. Neidia'i chorff a chaiff y ffôn ei daflu tua ugain metr i ffwrdd oddi wrthi. Dyma'r symudiad olaf y bydd Linda James yn ei wneud byth a does dim angen dweud ei bod hi'n farw cyn i'r ffôn daro'r ddaear hyd yn oed.

Ddown ni fyth i wybod mwy am Linda. Oedd hi'n briod neu'n sengl? Pam roedd hi'n croesi Parc Bute am chwech o'r gloch ar nos Fercher ac a oes ots na chyrhaeddodd hi i ble bynnag roedd hi'n mynd? Pwy oedd Huw? Ddaeth o byth i wybod bod Linda wedi cael ei lladd ar yr union eiliad yr oedd hi'n siarad gydag o? Fydd y cwestiynau yma byth yn cael eu hateb.

Ond y ffôn symudol. Stori arall yw honno.

Zodiac 555 yw'r ffôn. Mae'n henffasiwn yn barod. Cafodd ei wneud rywle yng ngorllewin Ewrop. Daw rhywun o hyd iddo yn y gwair hir ddiwrnod wedi i'r corff gael ei ddarganfod, ac wedi taith hir o law i law, mae'n cyrraedd siop ail-law rywle yn agos i'r arfordir yng ngogledd Cymru. Er gwaethaf popeth, mae'r ffôn fel petai'n gweithio. Caiff cerdyn SIM Linda'i dynnu allan, y darn bach o dechnoleg sy'n gwneud i'r ffôn weithio. Mae'r ffôn yn cael ei ail-raglennu, a cherdyn SIM arall yn cael ei roi i mewn. Ymhen amser, mae 'nôl ar werth.

Ychydig wythnosau'n ddiweddarach, daw dyn o'r enw Mark Adams i mewn i'r siop i'w brynu. Mae o eisiau ffôn ar gyfer ei fab.

Mae Dafydd Adams yn dal y ffôn symudol. 'Diolch, Dad,' meddai. Ond dydy o ddim yn siŵr. Mae gan lawer o'i ffrindiau ffônau symudol, mae'n wir. Cofiwch, dydy llawer ohonyn nhw ddim yn eu defnyddio i ffonio neb, ond maen nhw'n meddwl ei bod hi'n cŵl bod yn berchen ar eu ffôn eu hunain – a pho leiaf a'r drytaf yw'r ffôn, y mwyaf maen nhw'n ei feddwl ohonyn nhw'u hunain. Ond mae'r Zodiac 555 yn drwsgl ac yn henffasiwn. Mae'n llwyd. A does dim posib rhoi clawr newydd amryliw arno. A Zodiac? Dydy o ddim yn un o'r enwau newydd, ffasiynol. Dydy Dafydd erioed wedi clywed yr enw o'r blaen.

Ac yna mae'r cwestiwn yn codi pam mae'i dad wedi prynu'r ffôn yn y lle cyntaf. Mae Dafydd yn un ar bymtheg erbyn hyn ac yn dechrau treulio mwy o amser oddi cartref, yn aros dros nos gyda ffrindiau, mynd i bartïon ar nosweithiau Sadwrn a syrffio ar foreau Sul. Mae'n byw ym Mhrestatyn, tref glan môr ar arfordir y gogledd, tref wedi gweld dyddiau gwell. Mae wedi treulio'i fywyd yno, ac efallai mai dyna pam ei fod yn teimlo fel petai eisiau lledu'i adenydd, mae o angen ei le'i hun. Mae'n siarad am goleg chweched dosbarth, ac am brifysgol rhywle ymhell o Brestatyn. Rhedeg gwesty mae Mark a Jane Adams. Dim ond un mab sydd ganddyn nhw, ac mae arnyn nhw ofn ei golli. Maen nhw eisiau iddo fod yn agos, hyd yn oed pan nad ydyn nhw'n gallu'i weld. A dyna pam maen nhw wedi prynu'r ffôn symudol. Gall Dafydd ddychmygu'r nos Sadwrn nesaf, pan fydd o allan efo'i ffrindiau yn y Spyglass, melodi Toccata a Ffiwg gan Bach (y gerddoriaeth sydd ar y ffôn pan fydd yn canu) yn ei boced ôl a'i dad neu'i fam yn gwneud yn siŵr ei fod yn iawn. 'Dim ond lemonêd wyt ti'n ei yfed, ynte Dafydd? Fyddi di ddim yn hwyr adre?'

Ond er hyn, ei ffôn o ydy hwn. Gall o wastad ei ddiffodd o. Ac oherwydd ei fod wedi dechrau mynd allan efo Jill Hughes sy'n byw yn Nyserth, y pentref nesaf, ac sy'n mynd i'r un ysgol ag o, gallai'r ffôn fod yn ddefnyddiol iawn.

Dyna pam mae'n dweud, 'Diolch, Dad.'

'Mae'n iawn, Dafydd. Ond cofia di, bydda i'n talu'r contract i ti, ond ti sy'n talu am y galwadau. Deg ceiniog y funud fin nos, felly gwna'n siŵr nad wyt ti'n siarad gormod.'

'Iawn.'

Maen nhw'n deulu agos. Am chwe mis y flwyddyn, dim ond nhw sy'n mynd a dod yn y gwesty tair ystafell ar hugain, Gwesty'r Priordy, sy'n sefyll ar ben bryn yn edrych i lawr dros y môr a thref Prestatyn. Prynodd Mark a Jane Adams y lle ddeng mlynedd ynghynt, pan oedd Dafydd yn chwech oed. Roedden nhw wedi cael llond bol ar Gaerdydd ac un diwrnod symudon nhw. Efallai ei fod yn gamgymeriad. Tymor byr yw'r tymor gwyliau ar arfordir gogledd Cymru y dyddiau hyn. Mae gwyliau tramor mor rhad nes bod y rhan fwyaf o deuluoedd yn gallu fforddio mynd i Ffrainc neu Sbaen lle maen nhw'n fwy sicr o gael tywydd da. Mae'n prysuro tua Mehefin, ond dim ond mis Ionawr ydy hi ac mae'r lle'n dawel. Fel arfer mae'n anodd cael dau ben llinyn ynghyd. Mae Dafydd yn helpu'i dad efo'r peintio a'r papuro a'r gwaith cynnal a chadw o amgylch y gwesty. Mae gan Jane Adams waith rhan amser mewn clwb hwylio yn y Rhyl. Mae'r tri ohonyn nhw'n ffrindiau da. Mae Mark yn dal i ddweud fod yn well ganddo Brestatyn na Chaerdydd.

Dydy Dafydd ddim mor siŵr. Mae gormod o hen bobl ym Mhrestatyn. Mae popeth yn teimlo'n drist a di-raen. Mae pobl yn dweud fod y lle tua hanner can mlynedd y tu ôl i weddill Cymru ac mae'n hawdd gan Dafydd gredu hynny. Weithiau edrycha ar y tonnau sy'n torri ar y traeth, a breuddwydia am wledydd eraill – bydoedd eraill hyd yn oed – ac mae'n dyheu am weld ei fyd yn newid.

Mae'r freuddwyd ar fin dod yn wir.

Am hanner awr wedi pedwar un prynhawn, mae'r ffôn yn canu wrth i Dafydd ddod adref o'r ysgol. Darn gwych Bach i'r organ wedi cael ei dorri i lawr i gyfres o synau electronig diflas. Dim ond tua chwe pherson sy'n gwybod ei rif. Jill wrth gwrs. Ei rieni. Ychydig o ffrindiau yn yr ysgol. Ond wedi i

Dafydd lwyddo i ddod o hyd i'r ffôn yn ei fag, ei dynnu allan a gwasgu'r botwm, rhywun arall sydd ar y lein.

'Helô!' Llais hen ddyn.

'Ia?' Mae Dafydd yn siŵr fod y dyn wedi cael y rhif anghywir.

'Dwi eisiau i ti wneud rhywbeth i fi.' Roedd rhywbeth yn llais yr hen ddyn oedd bron yn gorfodi i Dafydd ufuddhau. 'Dwi eisiau i ti fynd i weld fy ngwraig yn rhif 17, Bryn y Briallu.'

'Sori . . .' dechreua Dafydd.

'Dwi eisiau i ti ddweud wrthi fod y fodrwy o dan yr oergell. Bydd hi'n deall.'

'Pwy sy 'na?' gofynna Dafydd.

'Eric. Rwyt ti'n nabod fy ngwraig i. Mary Saunders. Mae hi'n byw yn rhif 17 a dwi eisiau i ti ddweud wrthi . . .'

'Dwi'n gwybod,' torra Dafydd ar ei draws. 'Pam na allwch chi ddweud wrthi?'

'Dwi wedi methu cysylltu!' Mae'r hen ddyn yn swnio'n flin rŵan. Mae fel petai'n dweud rhywbeth amlwg. 'Dwed wrthi fod y fodrwy o dan yr oergell. Dan yr oergell. Bydd hi'n deall beth rwyt ti'n ei feddwl.'

'Wel . . .'

'Diolch yn fawr iawn.'

Mae'r ffôn yn marw. Dydy Dafydd ddim hyd yn oed wedi gofyn sut gafodd Eric Saunders afael yn ei rif ffôn na pam ei fod wedi ei ffonio fo o bawb i ofyn y ffafr. Ond y ffaith ydy fod Dafydd yn rhyw fath o nabod Mary Saunders. Mae pawb fwy neu lai yn nabod pawb mewn lle fel Prestatyn, ond mae mwy iddi na hynny. Roedd Mary Saunders yn arfer gweithio yn y gwesty. Gweithiai yn y gegin, ond ymddeolodd tua blwyddyn yn ôl i edrych ar ôl ei gŵr a oedd yn dioddef o gancr neu rywbeth. Mae Dafydd yn ei chofio; dynes fach dew gyda chwerthiniad braf. O hyd yn hapus – hyd nes iddi glywed y newyddion am salwch ei gŵr. Arferai bobi cacennau a byddai wastad yno gyda chwpanaid o de a sleisen o rywbeth pan gyrhaeddai Dafydd adref o'r ysgol. Roedd hi'n ddynes neis. Ac o'r fan lle derbyniodd Dafydd yr alwad, dim ond ychydig funudau i ffwrdd oedd Bryn y Briallu.

Dyna beth rhyfedd i Eric ei alw fel 'na, ond penderfyna Dafydd wedi'r cyfan nad oedd yn ormod i'w ofyn. Dydy o ddim wedi stopio cerdded hyd yn oed. Mae'i draed yn mynd yr holl ffordd draw at Fryn y Briallu.

Mae rhif 17 yn rhan o deras hir o dai tebyg, yn sefyll yn dal ac yn gul, ysgwydd wrth ysgwydd. Does dim golygfa o'r môr ganddyn nhw. A dweud y gwir, does gan y rhan fwyaf o'r tai ddim golygfa o gwbl. Mae llenni les dros y ffenestri fel nad oes neb yn gallu edrych i mewn. Ond pwy fyddai eisiau gwneud hynny beth bynnag?

Cana Dafydd y gloch, gan deimlo ychydig yn wirion. Hyd yn oed wrth iddo glywed y sŵn, newidia'i feddwl ac mae'n difaru iddo ddod. Pam oedd Eric Saunders wedi'i ddewis o? Pam oedd Dafydd wedi gwrando arno yn y lle cyntaf? Ond mae'n rhy hwyr. Mae'r drws yn agor, a dyna lle mae Mary Saunders – yn union fel y mae Dafydd yn ei chofio hi, ac eto mae rhywbeth yn wahanol. Mae'n hŷn ac yn deneuach. Mae hi wedi torri a rhywsut mae Dafydd yn gwybod nad yw'n chwerthin cymaint erbyn hyn. Er hyn, mae hi'n falch o'i weld.

'Dafydd!' ebycha. Mae wedi cymryd eiliad neu ddwy iddi gofio pwy ydy o ac mae hi mewn penbleth pam mae o wedi dod. 'Wel am syrpreis bach neis! Sut wyt ti?'

'Dwi'n iawn, diolch, Mrs Saunders.'

Mae tawelwch am eiliad, a Dafydd yn teimlo'n lletchwith ei fod wedi rhoi cymaint o sioc iddi.

'Wyt ti eisiau dod i mewn?' gofynna o'r diwedd.

'Na, dim diolch. Dim ond taro heibio ar fy ffordd adre o'r ysgol.'

'Sut mae dy rieni di? Sut mae'r gwesty?'

'Maen nhw'n iawn. Popeth yn iawn.' Penderfyna Dafydd ddweud ei neges mor gyflym â phosib. 'Dwi newydd gael galwad ffôn,' meddai. 'Yn gofyn i fi roi neges i chi.'

'O, ie?'

'Eric oedd yna. Eisiau dweud wrthych chi fod y fodrwy o dan yr oergell . . .'

Ond mae wyneb Mary wedi newid yn barod. Edrycha ar Dafydd yn union fel petai wedi poeri yn ei hwyneb.

'Beth . . .?' mae'n mwmian.

'Mae'n dweud ei bod hi dan yr oergell ac y byddech chi'n deall.'

'Am beth wyt ti'n siarad? Ai rhyw fath o jôc ydy hyn?'

'Na. Fo oedd o . . .'

'Sut allet ti fod mor greulon? Sut allet ti . . .? Mae'n blincio'n gyflym ac mae Dafydd yn gweld ei bod yn mynd i grïo. Teimla Dafydd yn sâl. 'Wn i ddim wir!' mae hi'n mwmian ac yna'n cau'r drws yn glep. Yn union fel 'na. Ei gau'n glep yn ei wyneb.

Saif Dafydd ar stepen y drws, mewn penbleth. Ond ddim am hir. Ddylai o byth fod wedi dod draw, a rŵan mae'n falch o gael mynd. Mae un o'r llenni les drws nesaf yn symud. Mae cymydog wedi clywed y drws yn cau'n glep ac wedi edrych i weld beth sy'n digwydd. Ond does neb yno, dim ond bachgen ysgol yn rhuthro i lawr y rhiw . . .

Y noson honno wrth y bwrdd bwyd, mae Dafydd yn digwydd sôn ei fod wedi gweld Mary Saunders. Dydy o ddim yn dweud wrth ei rieni am yr alwad ffôn. Dydy o ddim yn sôn am y drws yn cau'n glep yn ei wyneb.

'A, Mary!' Roedd ei fam wastad wrth ei bodd efo'r gogyddes. 'Dwi ddim wedi'i gweld hi ers amser. Ddim ers yr angladd.'

'Pwy oedd wedi marw?' gofynna Dafydd. Ond mae'n cofio wyneb Mary pan siaradodd â hi. Mae'n gwybod yn barod.

'Ei gŵr hi. Ti'n cofio Eric,' dyweda wrth Mark.

'Roedd o'n gwneud ychydig o waith yn yr ardd,' cofia Mark yn sydyn.

'Oedd. Trist iawn. Roedd ganddo gancr ar yr ysgyfaint. Dim syndod a dweud y gwir. Roedd o'n ysmygu ugain y dydd.' Mae mam Dafydd yn troi tuag ato. 'Welaist ti hi heddiw? Sut oedd hi?'

'Roedd hi'n iawn . . .' ateba Dafydd heb allu'i atal ei hun rhag cochi. Roedd rhywun wedi chwarae tric arno. Tric gwirion, cas. Pwy wnaeth? Pwy oedd yn gwybod ei rif ac yn gwybod am Eric Saunders? Pwy ffoniodd ei rif a dynwared llais yr hen ddyn? Tybed ai Jonathan Channon oedd o? Jonathan yw ei ffrind gorau yn yr ysgol ac mae o wastad wedi bod ychydig yn ddrygionus. Ond gall Dafydd glywed llais yr hen ddyn o hyd, ac mae'n *gwybod* ei fod yn hen ddyn. Nid bachgen yn *esgus* bod yn ddyn. Mae'n gwybod nad jôc oedd hyn.

Ychydig ddyddiau'n ddiweddarach, mae Dafydd yn cyfarfod â Mary Saunders unwaith eto. Wrth iddo gerdded i lawr y Stryd Fawr ger y lle roedd y Sinema'n arfer sefyll mae'n ei gweld hi yno'n syth o'i flaen. Byddai'n ei hosgoi pe gallai, ond mae hi'n rhy hwyr.

'Helô, Mrs Saunders,' mae'n dweud. Mae cywilydd arno. Mae i'w glywed yn ei lais.

Ond rŵan mae hi'n edrych arno'n rhyfedd iawn. Mae fel petai'n ymladd â hi'i hun. Mae dagrau yn ei llygaid unwaith eto, ond y tro hwn dydy hi ddim yn anhapus. Mae'n ymladd â phob math o emosiynau ac mae'n cymryd ychydig eiliadau iddi ddod o hyd i'w llais, dod o hyd i'r geiriau, 'Fe ddest ti i 'ngweld i.'

'Sori,' medd Dafydd yn betrusgar. 'Do'n i ddim yn gwybod . . .'

Mae hi'n codi llaw, a cheisio egluro. 'Does ond chwe wythnos ers i Eric farw. Roedd o'n salwch hir. Edrychais i ar ei ôl hyd y diwedd.'

'Do, mi ddywedodd Mam wrtha i. Do'n i ddim yn meddwl . . .'

'Roedd gan y ddau ohonon ni fodrwy briodas yr un. Briodon ni dri deg saith o flynyddoedd yn ôl, a rhoi modrwy i'n gilydd. Dim ond modrwyon arian. Dim byd drud. Roedd ei enw o ar fy un i, a fy enw i ar ei fodrwy o. Ac ar ôl iddo fo farw, chwiliais i am ei fodrwy, a doeddwn i ddim yn gallu dod o hyd iddi. Gwnaeth i fi deimlo'n drist iawn. Achos doedd o erioed wedi tynnu'r fodrwy i ffwrdd. Ddim unwaith mewn tri deg saith o flynyddoedd. Ac roedd hi i fod i gael ei chladdu efo fo. Dyna oedd ei ddymuniad o.'

Mae'n aros. Tynnu hances a sychu'i llygad.

'Dwi ddim yn gwybod sut gwyddet ti. Beth ddwedaist ti wrtha i . . . dwi ddim eisiau gwybod chwaith. Ond ar ôl i ti fynd, edrychais i o dan yr oergell. Ac roedd hi yno. Roedd Eric mor denau yn y diwedd, mae'n rhaid ei bod hi wedi disgyn oddi ar ei fys a rholio yno. Beth bynnag, Dafydd, roeddwn i eisiau i ti wybod. Mi ddois i o hyd i'r fodrwy ac mae'r ficer wedi trefnu iddi gael ei rhoi yn yr arch efo fy annwyl Eric. Mae hynny'n meddwl y byd i fi. Dwi'n falch dy fod ti wedi dweud wrtha i. Dwi'n falch . . .'

Ac mae'n prysuro yn ei blaen, i fyny'r rhiw. Gwylia Dafydd hi'n mynd, yn gwybod nad yw hi'n flin efo fo bellach. Ond mae o'n teimlo rhywbeth yn ei lle. Nid teimlad blin . . . ond ofnus.

Y prynhawn hwnnw, mae'r ffôn yn canu unwaith eto.

'Dwyt ti ddim yn fy nabod i,' medd y llais, a'r tro hwn, dynes sydd yno. Llais cyflym, diemosiwn. 'Ond mi ges i dy rif di gan rywun. Ddywedon nhw y byddet ti'n gallu pasio neges ymlaen.'

'O, ia?' Dydy Dafydd ddim yn gallu cuddio'r ofn yn ei lais.

'Samantha Davies yw fy enw i. Mi fyddwn i'n ddiolchgar iawn petaet ti'n siarad gyda fy mam. Marian ydy'i henw hi ac mae hi'n byw yn rhif Un ar Ddeg, Sgwâr St Edward, y Rhyl. Fyddet ti'n gadael iddi wybod ei bod hi'n hollol anghywir yn rhoi'r bai ar Henri am beth ddigwyddodd, ac y byddwn i lawer hapusach pe bai'r ddau ohonyn nhw'n siarad unwaith eto?'

Unwaith eto, mae'r ffôn yn marw.

Y tro hwn, dydy Dafydd ddim yn ufuddhau'n syth. Y tro hwn mae'n gwneud ymchwiliadau. Ac mae'n darganfod fod yna Marian Davies sy'n byw yn rhif 11, Sgwâr St Edward yn y Rhyl, y dref fwyaf yn yr ardal.

Athrawes biano wedi ymddeol yw Mrs Davies. Llynedd, lladdwyd ei merch hynaf, Samantha, mewn damwain car. Henri, ei chariad, oedd yn gyrru.

Dydy Dafydd ddim yn trosglwyddo'r neges. Dydy o ddim eisiau ymwneud â rhywun nad ydy o erioed wedi'i chyfarfod. Beth bynnag, sut yn y byd allai o egluro i Mrs Davies beth glywodd o ar y ffôn?

Y ffôn . . .

Mae'n dechrau canu'n amlach. Gyda mwy a mwy o negeseuon.

'Derek Protheroe yw'r enw. Derek Protheroe. Fe ges i dy rif gan Samantha Davies. Tybed alli di gysylltu gyda fy merch ym Mae Colwyn. Mae'i chariad hi'n dweud celwyddau wrthi. Dihiryn ydy o. Dwi'n poeni'n fawr amdani. Alli di ddweud wrthi fod ei thad yn dweud . . .'

'Dwi'n poeni am Mam. Mae hi'n hiraethu gymaint amdana' i. Petai hi ond yn gwybod nad ydw i mewn poen mwyach. Dwi'n hapus. Petai hi ond yn gallu anghofio amdana i a mwynhau'i bywyd . . .'

'Tybed alli di ddweud wrth fy ngwraig fod y cyfreithiwr wedi gwneud llanast llwyr o bethau. Ychwanegais i atodiad at yr ewyllys. Mae'n siŵr nad wyt ti'n gwybod beth mae hynny'n ei feddwl, ond bydd hi'n deall. Mae'n bwysig iawn achos . . .'

'Miss Fitzgerald. Mae'n byw yn Llandudno. Fi yw ei chwaer hi . . .'

Ac yn y blaen ac yn y blaen . . . Wedi ychydig wythnosau, mae'r ffôn yn canu chwech neu saith gwaith y dydd. Brodyr a chwiorydd. Gwŷr a gwragedd. Meibion a merched. Pob un eisiau cysylltu.

A dydy Dafydd ddim yn dweud wrth unrhyw un.

Mae eisiau dweud wrth Jill, wrth gerdded adre gyda hi o'r ysgol. Ond byddai hi'n cael gormod o ofn. Byddai hi'n meddwl ei fod yn mynd yn wallgo'. Ac mae arno ofn y byddai'n ei cholli hi, ei gariad cyntaf. Mae eisiau dweud wrth Jonathan Channon, ei ffrind gorau. Ond dim ond chwerthin fyddai Jonathan. Byddai'n meddwl fod y cyfan yn un jôc anferth er nad ydy Dafydd yn chwerthin o gwbl. Ac uwchlaw popeth mae eisiau dweud wrth ei rieni. Ond maen nhw mor brysur yn ceisio paratoi'r gwesty ar gyfer y tymor nesaf. Mae ganddyn nhw broblemau plymio, problemau trydanol ac – fel arfer – problemau arian. Dydy o ddim eisiau rhoi mwy o broblemau ar eu hysgwyddau nhw.

Ond mae'n gwybod. Mae o mewn cyswllt efo'r meirw. Am ryw reswm, nad ydy o ddim hyd yn oed yn gallu dechrau ei ddeall, mae gan Zodiac 555 linell uniongyrchol i ble bynnag sydd y tu draw i'r bedd. Oes gan ffonau symudol linellau? Does dim ots. Y ffaith yw bod yna giât fechan wedi agor rywsut rhwng y byd hwn a'r byd nesaf. Y giât honno yw'r ffôn symudol. Ac wrth i'r newyddion fynd ar led, mae mwy a mwy o'r meirw wedi bod yn ciwio er mwyn ei defnyddio. Er mwyn trosglwyddo'u negeseuon.

'Dwed wrth fy ewythr . . .'

'Alli di siarad â 'ngwraig i . . .?'

'Mae'n rhaid iddyn nhw wybod . . .'

Toccata a Ffiwg Bach. Bob tro y clyw Dafydd y sŵn, rhed ias trwy'i gorff i gyd. Mae wedi cyrraedd pen ei dennyn. Yn y pen draw, diffodda'r ffôn a'i gladdu yng ngwaelodion drôr yn ei stafell wely, o dan ei hen sanau. Ond hyd yn oed wedyn mae weithiau'n dychmygu'i fod yn gallu'i glywed.

Didli-da.

Didli-da-da . . .

Mae'n cael hunllefau amdano. Mae'n gweld ysbrydion a sgerbydau a chyrff yn pydru. Maen nhw'n ciwio y tu allan i'w stafell. Maen nhw eisiau siarad ag o. Maen nhw'n methu deall pam nad yw'n ateb.

Mae Mark a Jane Adams yn dechrau poeni am eu mab. Maen nhw'n sylwi nad ydy o'n cysgu'n dda.

Daw i lawr i gael brecwast ag wyneb gwelw a chylchoedd duon o amgylch ei lygaid. Mae un o'i athrawon wedi dweud wrthyn nhw fod ei waith ysgol wedi dechrau dioddef. Maen nhw'n poeni'i fod o a Jill wedi gwahanu. Tybed a oedd o'n cymryd cyffuriau? Fel pob rhiant, maen nhw'n rhy barod i feddwl y gwaethaf heb ddod yn agos at y gwir.

Maen nhw'n mynd â Dafydd allan am swper. Bwyty bychan ger Ogof y Smyglwyr lle maen nhw'n dal crancod a chimychiaid a'u gweini nhw ar y byrddau. Noswaith gartrefol. Dim ond y tri ohonyn nhw.

Dydyn nhw ddim yn gofyn cwestiynau union-gyrchol iddo fo. Dyna'r peth olaf ddylech chi'i wneud gyda pherson ifanc. Yn hytrach, maen nhw'n holi'n ysgafn, yn ceisio darganfod beth sydd ar ei feddwl. Dydy Dafydd ddim yn dweud unrhyw beth wrthyn nhw. Ond erbyn diwedd y pryd bwyd, pan mae'r tri wedi ymlacio ychydig, dywed Mark Adams yn sydyn, 'Beth ddigwyddodd i'r ffôn symudol 'na gest ti gen i?'

Mae Dafydd yn cochi rywfaint. Does dim un o'i rieni'n sylwi.

'Dwyt ti ddim wedi'i ddefnyddio ers tipyn,' medd Mark.

'Dwi ddim wir ei angen,' medd Dafydd.

'Roeddwn i'n meddwl y byddai'n ddefnyddiol.'

'Wel, dwi'n gweld pawb, beth bynnag. Sori. Dwi ddim yn hoffi'i ddefnyddio fo.'

Gwena Mark. Dydy o ddim eisiau gwneud môr a mynydd o'r peth. 'Mae o'n dipyn o wastraff arian,' dyweda. 'Dwi'n talu'r rhent misol.'

'Lle mae'r ffôn?' mae'i fam yn gofyn. Mae hi'n meddwl ei fod wedi'i golli.

'Yn fy stafell wely i.'

'Wel, os nad oes arnat ti ei eisiau, waeth i fi ganslo'r rhent.'

'Ia. Iawn.' Swnia Dafydd yn falch. Ac *mae* o'n falch.

Y noson honno, mae'n rhoi'r ffôn yn ôl i'w dad a chysgu'n dda am y tro cyntaf ers wythnos. Dim Bach. Dim breuddwydion. Mae'r poeni heibio.

Wythnos yn ddiweddarach.

Eistedda Mark Adams yn ei swyddfa. Ystafell gysurus yn llawn trugareddau ar lawr uchaf y gwesty, rhwng trawstiau'r to. Trwy'r ffenest fechan, gall weld y môr yn disgleirio yn yr haul. Y tu allan, mae peiriannydd yn gweithio ar y llinellau ffôn. Mae'r gwesty wedi'i ddatgysylltu ers dwyawr. Drwy'r bore, mae Mark wedi bod wrthi'n gwneud y cyfrifon. Biliau gan yr adeiladwyr a'r peintwyr. Popty ping newydd yn y gegin. Fel erioed, maen nhw wedi gwario mwy o arian nag y maen nhw wedi'i dderbyn. Nid am y tro cyntaf, mae Mark yn pendroni a fyddan nhw'n gorfod gwerthu.

Edrycha i lawr a sylwi ar y ffôn symudol yn gorwedd ar bentwr o bapurau. Gwasga'r botwm i'w ddeffro. Mae'r batri'n llawn bywyd. Gwna nodyn yn ei feddwl. Bydd yn rhaid iddo ganslo rhent y llinell. Mae'n wastraff arian.

Ac yna daw symudiad wrth y drws ac yn sydyn mae Jane yno. Mae hi wedi rhedeg yr holl ffordd i fyny'r grisiau ac aros yn y drws, yn brin ei hanadl. Dynes fer ydy hi, ychydig dros bwysau. Daw ei gwallt du i lawr dros ei llygaid.

'Beth sy'?' gofynna Mark. Mae'n dychryn. Pan ydych chi wedi bod yn briod cyhyd gallwch synhwyro pan fo rhywbeth yn bod. Mae'n synhwyro hynny rŵan.

'Welais i o ar y teledu,' medd Jane.

'Beth?'

'Dafydd . . .'

Mae Dafydd i ffwrdd o adre. Mae yna daith sgïo efo'r ysgol i Ffrainc. Gadawodd o'r bore 'ma efo Jill Hughes, Jonathan Channon, pawb yn ei ddosbarth. Hedfanon nhw i Lyon. Dalion nhw fws yn y maes awyr ar gyfer taith ddwyawr i'r gwesty yn Courcheval.

Neu dyna oedd y cynllun.

'Mae damwain wedi bod,' eglura Jane. Mae'r dagrau'n agos. Dim oherwydd ei bod hi'n gwybod rhywbeth. Ond oherwydd nad ydy hi'n gwybod. 'Roedd o ar y newyddion. Llond bws o blant ysgol. O'r wlad yma. Mewn damwain gyda fan. Sgrialon nhw oddi ar y ffordd. Mae llawer o bobl wedi marw, medden nhw.'

'Ar fws Dafydd?'

'Ddywedon nhw ddim.'

Mae Mark yn cael trafferth i wneud synnwyr o'r peth. 'Mae siŵr o fod dros gant o fysiau ym maes awyr Lyon,' dyweda. 'Mae'n wyliau hanner tymor, er mwyn popeth. Mae yna ysgolion dros y wlad i gyd yn anfon plant i Ffrainc.'

'Ond cyrhaeddodd Dafydd y bore 'ma. Dyna pryd ddigwyddodd y peth.'

'Wyt ti wedi ffonio'r ysgol?'

'Dwi wedi trio, ond dydy'r ffôn ddim yn gweithio.'

Edrycha Mark drwy'r ffenest ar y dyn yn gweithio ar y llinell ffôn. Yna mae'n cofio'r ffôn symudol. 'Gallwn ni ddefnyddio hwn,' medd Mark.

Mae'n ei godi.

Mae'r ffôn yn canu yn ei law.

Toccata a Ffiwg Bach.

Mae Mark yn synnu. Mae'n chwilio am y botwm a'i wasgu.

Dafydd sydd yna.

'Helo, Dad,' meddai. 'Fi sy' 'ma.'

NOSON
y bàth

Doedd hi ddim yn hoffi'r bàth o'r dechrau.

Roedd Isabel adre y noson y daethon nhw â'r peth, yn methu deall sut y bydden nhw'n cael y bwystfil metal, tew i fyny'r grisiau, heibio i'r tro ac i mewn i'r stafell ymolchi.

Doedd y ddau lipryn o weithiwr ddim yn rhy siŵr chwaith. Ddeugain munud, pedwar migwrn cleisiog a chant a mil o regfeydd yn ddiweddarach, ymddangosai'n hollol sownd, a dim ond pan ymddangosodd tad Isabel i helpu y llwyddon nhw i'w gael yn rhydd. Ond wedyn, daliodd un o'r coesau bach tew yn y papur wal a'i rwygo. Arweiniodd hynny at ddadl arall o flaen y gweithwyr, ei mam a'i thad yn beio'i gilydd, fel arfer.

'Ddywedais i wrthot ti am ei fesur o.'

'Mi wnes i.'

'Do, ond ddywedaist ti fod y coesau'n dod i ffwrdd.'

'Na. Ti ddywedodd hynny.'

Dyna'r union beth fyddai'i rhieni hi yn ei wneud, prynu'r bàth, meddyliodd Isabel. Byddai pob un arall wedi mynd i un o'r siopau ffasiynol hynny yn y ddinas. Dewis rhywbeth o'r arddangosfa. Allan â'r cerdyn credyd. Wedi'i gario a'i osod am ddim mewn chwe wythnos a dyna ni!

Ond doedd Jeremy a Susan Martin ddim fel pob un arall. Ers iddyn nhw brynu'r tŷ bychan troad-y-ganrif ym Mhentyrch, i'r gogledd o Gaerdydd, roedd pob eiliad o'u gwyliau'n mynd i geisio cael popeth yn iawn. Ac oherwydd bod y ddau ohonyn nhw'n athrawon – fo mewn ysgol breifat a hi mewn ysgol gynradd leol – roedd eu gwyliau'n aml ac yn hir.

Ac felly roedd bwrdd yr ystafell fwyta wedi dod o siop hen bethau ym Margam, a'r cadeiriau o'i gwmpas wedi dod o arwerthiant tŷ ym Mhorthcawl. O sgip ym Mhontypridd yr achubon nhw gypyrddau'r gegin. Ac roedd eu gwely dwbl unwaith wedi bod yn un pentwr rhydlyd pan ddaethon nhw o hyd iddo mewn sgubor ffermdy y tu allan i Boulogne yn Ffrainc. Cymaint o ben-wythnosau. Cymaint o oriau'n chwilio, mesur, dychmygu, haglo, a ffraeo.

Dyna oedd y peth gwaethaf. Cyn belled ag y gallai Isabel weld, doedd ei rhieni hi ddim yn cael unrhyw bleser o gwbl allan o'r hen bethau yma. Dim ond ffraeo oedden nhw – yn y siopau, yn y marchnadoedd, hyd yn oed mewn arwerthiant. Unwaith roedd ei thad wedi gwylltio gymaint nes ei fod wedi torri'r potyn Fictoraidd yr oedden nhw wedi bod yn dadlau yn ei gylch, ac wrth gwrs roedd yn rhaid iddo'i brynu wedyn. Yn y cyntedd mae o erbyn hyn, wedi'i ludo 'nôl at ei gilydd, a'r craciau amlwg yn ddelwedd anffodus o'u deuddeng mlynedd o briodas.

Roedd y bàth yn Fictoraidd hefyd. Roedd Isabel gyda'i rhieni pan brynon nhw'r peth – mewn iard gwerthu hen bethau yng Nghaerdydd. 'Diwedd y ganrif ddiwethaf,' meddai'r gwerthwr wrthyn nhw. 'Bàth hyfryd. A'r tapiau gwreiddiol yn dal arno . . .'

Doedd o'n sicr ddim yn edrych yn hyfryd wrth iddo orwedd yno ar y llawr pren, a darnau ar gyfer ei blymio a hen bibellau wedi'u plygu'n gorwedd o'i amgylch. Cafodd Isabel ei hatgoffa o fuwch feichiog, y bol mawr gwyn yn hongian ychydig fodfeddi uwch y llawr. Y traed metal yn troi am allan yn gam, fel petai'n methu dal y pwysau. Ac wrth gwrs roedd y pen wedi dod i ffwrdd. Roedd un twll crwn mawr lle byddai'r tapiau ac oddi tano, staen melyn hyll ar yr enamel lle'r oedd y dŵr wedi bod yn diferu ers can mlynedd siŵr o fod, ar ei ffordd i lawr i dwll y plwg oddi tano. Edrychodd Isabel ar y tapiau, yn gorwedd wrth ymyl y sinc, pentwr blêr o fetel a edrychai'n rhy fawr i'r bàth. Roedd yno ddwy handlen, a'r geiriau Poeth ac Oer mewn ysgrifen wedi pylu ar ddisgiau ifori. Dychmygai Isabel y dŵr yn taranu i mewn. Byddai'n rhaid iddo. Roedd y bàth yn ddwfn iawn.

Ond ddefnyddiodd neb y bàth y noson honno. Roedd Jeremy wedi dweud y byddai'n gallu'i gysylltu'i hun ond yn y pen draw gwelodd fod hynny'n ormod iddo. Doedd dim byd yn ffitio. Byddai'n rhaid soldro. Yn anffodus roedd hi'n amhosib cael gafael ar unrhyw blymwr tan ddydd Llun, ac wrth gwrs byddai hynny'n ychwanegu deugain punt at y bil. Pan ddywedodd o hynny wrth Susan, arweiniodd hynny at ddadl arall. Bwyton nhw'r swper o flaen y teledu'r noson honno, gan adael i chwerthin arwynebol y rhaglen gomedi guddio oerfel y tawelwch yn y stafell.

Ac yna roedd hi'n naw o'r gloch. 'Mae'n well i ti fynd i'r gwely'n gynnar, cariad. Ysgol fory.' meddai Susan.

'Iawn, Mam.' Roedd Isabel yn ddeuddeg oed, ond roedd ei mam weithiau'n ei thrin fel petai'n llawer iau. Efallai mai oherwydd ei bod wedi dysgu mewn ysgol gynradd. Er bod ei thad yn athro yn Ysgol Caeau Taf, i ysgol gyfun arferol yr âi Isabel ac roedd hi'n falch o hynny. Doedd dim hawl gan ferched fynychu Ysgol Caeau Taf. Iddi hi, roedd y bechgyn yno yn rhy neis neis. Mae'n siŵr eu bod nhw i gyd yn hoyw yno hefyd.

Tynnodd Isabel amdani ac ymolchi'n gyflym – dwylo, wyneb, gwddw, dannedd, yn y drefn honno. Doedd yr wyneb a edrychai 'nôl arni yn y drych euraidd uwchben y sinc ddim yn hyll o bell ffordd, meddyliodd, oni bai am y ploryn diflas ar ei thrwyn . . . cosb am yr hufen iâ Mars Bar a fwytaodd y diwrnod cynt. Gwallt hir brown a llygaid glas (fel rhai ei mam), wyneb tenau gyda gên ac esgyrn bochau cul (fel ei thad). Hyd at naw oed, bu'n ferch dew, ond erbyn hyn roedd wedi cael ychydig o siâp arni hi'i hun. Fyddai hi byth yn fodel enwog. Roedd hi'n rhy hoff o hufen iâ i hynny. Ond doedd hi ddim yn dew chwaith, dim fel Belinda Price, ei ffrind gorau yn yr ysgol, a oedd yn paratoi ar gyfer bywyd yn llawn o ddillad llac a deiet anobeithiol.

Dros ei hysgwydd, daliodd siâp y bàth ei llygad. A sylweddolodd yn sydyn, o'r eiliad yr oedd wedi dod mewn i'r stafell molchi, ei bod wedi ceisio osgoi edrych arno. Pam? Rhoddodd ei brws dannedd i lawr, a throi i edrych yn fanwl arno. Doedd hi ddim yn ei hoffi. Roedd ei hargraff gyntaf wedi bod yn gywir. Roedd o mor fawr ac mor hyll gyda'i enamel gwelw a staen diferion dros dwll y plwg. Ymddangosai – roedd yn swnio mor hurt ond dyma beth oedd hi'n ei feddwl – fel ei fod yno'n *aros* amdani. Hanner gwenodd ar ei ffolineb hi'i hun. Ac yna sylwodd ar rywbeth arall.

Gorweddai pwll bychan o ddŵr ar waelod y bàth. Wrth iddi symud ei phen, daliai'r pwll y golau a gallai'i weld yn glir. Meddyliodd Isabel yn gyntaf am edrych i fyny ar y nenfwd. Mae'n rhaid bod yna bibell yn gollwng yn yr atig yn rhywle. Sut arall y gallai dŵr fod wedi dod i mewn i'r bàth pan oedd y tapiau'n gorwedd ar eu hochr y drws nesaf i'r sinc? Ond doedd dim byd yn gollwng.

Plygodd Isabel a rhedeg ei thrydydd bys ar hyd gwaelod y bàth. Roedd y dŵr yn gynnes.

'Mae'n rhaid 'mod i wedi sblasio'r dŵr yno fy hun,' meddyliodd. 'Wrth 'mod i'n golchi fy wyneb . . .'

Diffoddodd y golau, gadael y stafell a chroesi pen y grisiau i'w hystafell wely dros y ffordd i ystafell ei rhieni. Rhywle yn ei meddwl gwyddai nad oedd hynny'n wir, na allai hi byth fod wedi sblasio dŵr o'r sinc i'r bàth. Ond doedd o ddim yn gwestiwn pwysig. Yn wir, roedd o'n hurt. Swatiodd yn ei gwely a chau'i llygaid.

Ond awr yn ddiweddarach roedd ei bawd yn dal i redeg cylchoedd yn erbyn ei thrydydd bys ac aeth amser hir heibio cyn iddi fynd i gysgu.

'Noson bàth!' meddai ei thad pan gyrhaeddodd hi adre o'r ysgol y diwrnod canlynol. Roedd o mewn hwyliau da, yn gwenu o glust i glust wrth iddo gasglu cynhwysion ar gyfer swper y noson honno.

'Felly mae'r plymwr wedi bod 'te?'

'Do.' Edrychodd i fyny. 'Gostiodd o hanner canpunt – paid â dweud wrth dy fam. Roedd y plymwr yma am ddwyawr.' Gwenodd a blincio sawl gwaith, a chafodd Isabel ei hatgoffa o rywbeth a glywodd hi unwaith gan frawd ffrind a oedd wedi mynd i'r ysgol lle'r oedd ei thad yn dysgu. Yn yr ysgol, ffugenw'i thad oedd Llygoden. Pam roedd yn rhaid i fechgyn fod mor greulon?

Estynnodd ato a gwasgu'i fraich. 'Mae hynny'n wych, Dad.' meddai. 'Ga i fàth ar ôl swper. Beth ydych chi'n ei wneud?'

'Lasagne. Mae dy fam wedi mynd allan i nôl ychydig o win.' Roedd hi'n noswaith hyfryd. Roedd Isabel wedi cael rhan yn sioe'r ysgol – y Foneddiges Montague yn *Romeo a Juliet*. Cafodd Susan hyd i bapur decpunt ym mhoced siaced nad oedd wedi'i gwisgo ers blynyddoedd. Cafodd Jeremy gais i fynd â chriw o fechgyn i Baris ar ddiwedd y tymor. Llifai newyddion da drwy'r teulu ac am unwaith roedd pawb yn gytûn. Wedi cinio, gwnaeth Isabel hanner awr o waith cartref, yna rhoddodd gusan nos da i'w rhieni a mynd i fyny'r grisiau.

I'r ystafell molchi.

Roedd y bàth yn barod. Wedi'i blymio. Yn barhaol. Hongiai'r tapiau gyda'r Poeth ac Oer du dros ochr y bàth fel gwddf fwltur. Gorweddai plwg arian ar gadwyn drom dros y twll. Roedd ei thad wedi sgwrio'r gwaith pres yn loyw nes ei fod yn disgleirio fel newydd. Roedd y llieiniau yn eu lle ac roedd ei thad wedi rhoi mat gwyrdd ar y llawr. Popeth fel y dylai fod. Ac eto roedd y stafell, y llieiniau a'r mat fel petaen nhw'n llai o faint nag arfer. Roedd y bàth yn rhy fawr. Ac roedd yn aros amdani. Doedd hi ddim yn gallu cael y syniad allan o'i meddwl.

'Isabel. Paid â bod mor wirion . . .'

Beth yw'r arwydd cyntaf o fynd yn wirion? Siarad â chi'ch hun. A'r ail arwydd? Ateb yn ôl. Ochneidiodd Isabel yn uchel a mynd at y bàth. Pwysodd i mewn a gwthio'r plwg i'r twll. Gallai glywed y teledu. Y Byd ar Bedwar. Un o hoff rag-lenni'i thad. Estynnodd a throi'r tap dŵr poeth, a'r metal yn gwichian ychydig o dan ei llaw. Heb oedi, trodd y tap dŵr oer chwarter ffordd. Beth am gael gweld a oedd y plymwr hwnnw'n werth hanner canpunt.

Am eiliad, ddigwyddodd dim byd. Yna, yn ddwfn o dan y llawr, dechreuodd rhywbeth chwyrnu. Roedd yna sŵn taro yn y pibau a dyfai'n uwch ac yn uwch wrth iddo godi, ond doedd dim dŵr yn dod allan o hyd. Pesychodd y tap, pesychiad hen ddyn a ysmygai'n drwm. Ymddangosodd swigen o rywbeth a oedd yn edrych yn debyg i boer ar wefusau'r tap. Pesychodd eto a'i boeri allan. Edrychodd Isabel i lawr mewn syndod. Roedd beth bynnag oedd wedi cael ei boeri i mewn i'r bàth yn lliw coch hyll, lliw rhwd. Pesychodd y tapiau unwaith eto a daeth mwy o'r hylif tew allan. Bownsiodd ar waelod y bàth a thasgu yn erbyn yr ochrau. Dechreuodd Isabel deimlo'n sâl a chyn i'r tapiau allu poeri mwy o beth bynnag oedd y stwff i mewn i'r bàth, gafaelodd ynddyn nhw a'u cau'n dynn. Gallai deimlo'r pibau'n clecian o dan ei dwylo, ond roedd y gwaith wedi'i wneud. Distawodd y sŵn. Llyncwyd gweddill yr hylif yn ôl i'r rhwydwaith o bibau.

Ond doedd pethau ddim ar ben. Roedd gwaelod y bàth wedi'i orchuddio â'r hylif. Llithrodd yn amharod tuag at y twll a chafodd ei lyncu'n hunanol. Edrychodd Isabel yn agosach. Oedd hi'n mynd yn wallgof neu a oedd rhywbeth *yn* nhwll y plwg? Roedd hi'n siŵr ei bod wedi rhoi'r plwg i mewn, ond rŵan roedd o hanner i mewn a hanner allan a gallai weld i mewn i'r twll.

Roedd rhywbeth yno. Edrychai fel pêl wen, yn troi'n araf, yn mynd i mewn iddi'i hun, yn disgleirio'n wlyb ac yn fyw. Ac roedd yn codi, yn agos i'r wyneb . . .

Gwaeddodd Isabel yn uchel. Ar yr un pryd, pwysodd dros y bàth a rhoi'r plwg yn ôl yn saff yn y twll. Teimlodd yr hylif coch â'i llaw a thynnodd hi'n ôl yn syth, gan deimlo'r hylif yn gynnes a gludiog yn erbyn ei chroen.

Ac roedd hynny'n ddigon. Pwysodd yn ei hôl, tynnu lliain o'r rheilen a'i rwbio yn erbyn ei llaw mor galed nes ei fod yn brifo. Yna taflodd ddrws y stafell molchi ar agor a rhedeg i lawr y grisiau.

Roedd ei rhieni'n dal i wylio'r teledu.

'Beth yn y byd sy'n bod arnat ti?' gofynnodd Jeremy.

Eglurodd Isabel beth oedd wedi digwydd, a'r geiriau'n disgyn dros ei gilydd wrth geisio dod allan. Ond doedd ei thad ddim fel petai'n gwrando. 'Mae pob hen fàth yn rhydu rywfaint,' aeth yn ei flaen. 'Yn y pibau mae o. Rhed y dŵr am ychydig, a bydd o'n diflannu.'

'Dim rhwd oedd o,' meddai Isabel.

'Efallai fod y boiler yn camfihafio eto,' ychwanegodd Susan.

'Dim y boiler ydy o.' Gwgodd Jeremy. Roedd wedi'i brynu'n ail-law ac roedd hyn o hyd yn destun ffrae – yn arbennig pan oedd yn torri.

'Roedd o'n erchyll,' mynnodd Isabel. 'Roedd o'n debyg i . . .' Tebyg i beth oedd o? Wrth gwrs, roedd hi'n gwybod drwy'r amser. 'Wel, roedd o fel gwaed. Ac roedd 'na rywbeth arall. Y tu fewn i'r plwg.'

'O er mwyn y nefoedd!' Roedd Jeremy'n flin erbyn hyn, yn colli'i hoff raglen.

'Tyrd, fe ddof fi i fyny efo ti . . .' Gwthiodd Susan bentwr o bapurau dydd Sul oddi ar y soffa – roedd hi'n dal i'w darllen er ei bod hi'n nos Lun – a chododd ar ei thraed.

'Lle mae'r rimôt?' Daeth Jeremy o hyd iddo yng nghornel ei gadair freichiau a chodi'r sŵn yn uwch.

Aeth Isabel a'i mam i fyny'r grisiau, yn ôl i'r stafell molchi. Edrychodd Isabel ar y lliain yn gorwedd yn flêr lle gadawodd hi'r peth. Lliain gwyn. Roedd wedi'i ddefnyddio i sychu'i dwylo. Cafodd syndod o weld nad oedd unrhyw staen o gwbl arno.

'Y ffasiwn ffws dros lond llwy o liw rhwd!' Pwysai Susan dros y bàth. Camodd Isabel yn ei blaen ac edrych i mewn yn nerfus. Ond roedd hi'n dweud y gwir. Roedd yna bwll bach o ddŵr yn y canol, ac ychydig o ddarnau bach o rwd. 'Ti'n gwybod fod yna wastad ychydig o rwd yn y system,' aeth ei mam yn ei blaen. 'Hen foiler dwl dy dad sydd ar fai.' Tynnodd y plwg allan. 'Dim byd mewn yn fan'na chwaith!' Yn y diwedd, trodd y tap. Dŵr glân, arferol yn rhaeadru allan mewn un llif cyson. Dim clecian. Dim poeri. Dim byd. 'Dyna ti. Mae popeth yn gweithio'n iawn.'

Pwysodd Isabel yn ei hôl y erbyn y sinc, yn drist. Ochneidiodd ei mam. 'Ti wedi bod yn defnyddio dy ddychymyg on'd do?' meddai – ond roedd ei llais yn garedig, nid yn flin.

'Naddo, Mam.'

'Est ti i ymdrech fawr i beidio â gorfod mynd i'r bàth.'

'Wnes i ddim . . .!'

'Paid â phoeni rŵan. Glanha dy ddannedd a dos i'r gwely.' Cusanodd Susan hi. 'Nos da, cariad. Cysga'n dawel.'

Ond y noson honno, chysgodd Isabel ddim o gwbl.

Aeth hi ddim i'r bàth y noson ganlynol chwaith. Roedd Jeremy Martin allan – mewn cyfarfod athrawon yn yr ysgol – ac roedd Susan yn dilyn rysáit newydd Delia Smith ar gyfer parti'r penwythnos canlynol. Treuliodd y noswaith gyfan yn y gegin.

Aeth Isabel ddim i'r bàth nos Fercher chwaith. Tridiau'n olynol a dechreuodd deimlo'n fwy nag anghyfforddus. Roedd yn hoffi bod yn lân. Dyna sut berson oedd hi, ac er ei bod wedi ceisio golchi'i hun gyda chlwtyn gwlyb a sebon a defnyddio'r sinc, doedd hyn ddim yr un peth â mynd i'r bàth. A doedd hi ddim yn help bod ei thad wedi defnyddio'r bàth ar fore Mawrth a'i mam wedi gwneud yr un peth ar ddydd Mawrth a dydd Mercher a dim un ohonyn nhw wedi sylwi fod unrhyw beth o'i le. Gwnaeth hyn iddi deimlo hyd yn oed yn fwy euog, ac yn fwy budr.

Yna ar fore dydd Iau, gwnaeth rhywun jôc yn yr ysgol – rhywbeth am wyau drewllyd – ac wrth i'w bochau losgi, penderfynodd Isabel mai digon oedd digon. Beth oedd hi'n ofnus ohono beth bynnag? Darnau bach o rwd yr oedd ei dychymyg hi wedi eu troi yn . . . rhywbeth arall. Roedd Susan Martin allan y noson honno – roedd hi yn ei dosbarth nos Eidaleg – felly eisteddodd hi a'i thad gyda'i gilydd i fwyta cacennau cranc Delia Smith. Doedden nhw ddim wedi gweithio'n iawn achos roedden nhw i gyd wedi torri'n ddarnau yn y tun.

Am naw o'r gloch aethon nhw eu ffordd eu hunain. Aeth o at y Newyddion, a hi i fyny'r grisiau.

'Nos da, Dad.'

'Nos da, Is.'

Roedd hi wedi bod yn noswaith hyfryd, y ddau'n gwmni da i'w gilydd.

Ac roedd y bàth yno, yn aros amdani. Oedd, roedd o yn aros, fel petai am ei derbyn hi. Ond y tro hwn nid oedodd Isabel. Roedd hi wedi penderfynu, pe bai hi mor gyflym a phendant â phosibl, na fyddai dim byd yn digwydd. Fyddai hi ddim yn rhoi digon o amser i'w dychymyg chwarae triciau arni. Felly heb hyd yn oed feddwl am y peth, rhoddodd y plwg yn y twll, troi'r tapiau ac arllwys ychydig o hylif afocado *Body Shop* i ymlacio'n llwyr. Tynnodd ei dillad (a oedd yn fasg defnyddiol, yn ei chuddio hi rhag gweld y dŵr wrth iddo godi) a dim ond pan oedd hi'n weddol noeth y trodd hi i edrych ar y bàth. Roedd yn iawn. Gallai weld y dŵr gwyrdd gwelw o dan y swigod trwchus. Estynnodd ei llaw i deimlo'r gwres. Roedd yn berffaith: digon poeth i stemio'r drych, ond dim digon poeth i losgi. Trodd y tapiau i atal y dŵr. Roedden nhw'n diferu'n swnllyd wrth iddi gofio mynd draw i gloi'r drws.

Ond roedd hi'n dal i oedi. Roedd hi'n sydyn yn ymwybodol o'i noethni. Roedd hi fel petai mewn ystafell yn llawn pobl. Crynodd. 'Rwyt ti'n ymddwyn yn hollol hurt,' meddai wrthi hi'i hun. Ond roedd y cwestiwn yn hongian yn yr aer gyda'r stêm o'r dŵr. Roedd fel pos cas, dihiwmor.

Pryd ydych chi fwyaf diamddiffyn?

Pan ydych chi'n noeth, y drws wedi'i gloi, yn gorwedd ar eich cefn . . .

. . . yn y bàth.

'Hurt.' Y tro hwn, dywedodd y gair yn uchel. Ac mewn un symudiad cyflym, penderfyniad di-droi'n-ôl, aeth i mewn.

Roedd y bàth wedi'i thwyllo hi – ond gwyddai ei bod hi'n rhy hwyr.

Doedd y dŵr ddim yn boeth. Doedd o ddim yn gynnes hyd yn oed. Roedd wedi profi'r gwres eiliadau ynghynt. Roedd wedi gweld y stêm yn codi. Ond roedd y dŵr yn oerach nag unrhyw beth yr oedd Isabel wedi'i deimlo erioed. Teimlai fel petai'n torri trwy'r iâ ar bwll yng nghanol gaeaf. Ni allai ei hatal ei hun rhag llithro i mewn i'r bàth, a gallai deimlo'r dŵr yn llifo dros ei choesau a'i stumog, yn cau i mewn ar ei gwddf fel gefail, ei hanadl wedi'i wthio'n ôl a'i chalon fel petai'n peidio ar hanner curiad. Roedd yr oerfel yn ei brifo. Torrai i mewn iddi. Agorodd Isabel ei cheg a sgrechian gymaint ag y gallai. Doedd y sŵn yn ddim mwy na'r pesychiad lleiaf.

Roedd Isabel yn cael ei thynnu o dan y dŵr. Trawodd ei gwddf ochr y bàth a llithro i lawr. Arnofiai'i gwallt hir i ffwrdd oddi wrthi. Llithrodd y swigod dros ei gwefusau yna dros ei thrwyn. Ceisiai symud ond roedd ei breichiau a'i choesau'n gwrthod ufuddhau i'r negeseuon yr oedden nhw'n eu cael. Roedd ei hesgyrn wedi rhewi, a'r stafell fel petai'n tywyllu.

Ond yna, gydag un ymdrech olaf, trodd Isabel a'i thaflu'i hun i fyny, dros yr ochr. Ffrwydrodd dŵr ymhobman gan sblasio ar y llawr. Yna, rywsut, roedd hi'n gorwedd wyneb i waered gyda swigod o'i hamgylch yn llefain ac yn crynu a'i chroen yn hollol wyn. Estynnodd ei llaw a gafael yng nghornel lliain a'i dynnu drosti. Diferodd dŵr o'i chefn a diflannu trwy'r craciau yn y llawr pren.

Gorweddodd Isabel yno am amser hir. Roedd wedi cael braw . . . hyd at farwolaeth bron. Ond nid newid tymheredd y dŵr yn unig oedd yn ei phoeni. Nid dim ond y bàth – er mor hyll a bygythiol oedd o. Na. Yr hyn oedd wedi'i phoeni fwyaf oedd y sŵn a glywodd wrth iddi hyrddio'i hun allan a glanio'n bendramwnwgl ar y llawr. Fe'i clywodd fodfeddi i ffwrdd o'i chlust, yn y stafell molchi. Er ei bod ar ei phen ei hun.

Roedd rhywun wedi chwerthin.

'Ti ddim yn 'y nghredu i, wyt ti?'

Safai Isabel wrth yr arhosfan bws gyda Belinda Price. Belinda dew, ddibynadwy. Yno o hyd pan oedd ei hangen. Ei ffrind gorau. Roedd wythnos wedi mynd heibio, a gydol yr amser roedd y cyfan wedi cronni y tu mewn iddi, yr hyn oedd wedi digwydd yn y stafell molchi, hanes y bàth. Ond roedd Isabel yn dal wedi'i gadw iddi hi'i hun. Pam? Am ei bod hi'n ofni y byddai pobl yn chwerthin am ei phen? Am fod arni hi ofn na fyddai unrhyw un yn ei chredu? Achos, yn syml, roedd arni hi ofn. Yn yr wythnos honno doedd hi ddim wedi gwneud unrhyw waith . . . yn yr ysgol nag adre chwaith. Roedd hi wedi cael stŵr ddwywaith yn y dosbarth. Roedd golwg ar ei dillad a'i gwallt hi, a'i llygaid yn ddu gan ddiffyg cwsg. Ond yn y pen draw ni allai ddal ddim mwy. Roedd wedi dweud wrth Belinda.

Roedd y ferch arall yn ddidaro. 'Dwi wedi clywed am ysbrydion mewn tai,' mwmialodd. 'Ac ysbrydion mewn cestyll. Dwi hyd yn oed wedi clywed am ysbryd mewn car. Ond ysbryd mewn bàth . . .?'

'Fe ddigwyddodd y peth. Yn union fel y dywedais i.'

'Efallai mai dychmygu'r cyfan wnest ti. Os wyt ti'n dychmygu pethau'n ddigon hir mae'n gallu . . .'

'Dim dychymyg oedd o,' torrodd Isabel ar ei thraws.

Yna daeth y bws a chamodd y ddwy ferch i mewn iddo gan ddangos eu cerdyn i'r gyrrwr.

Eisteddon nhw ar y llawr uchaf, yn agos i'r cefn. Roedden nhw o hyd yn eistedd yn yr un lle heb wybod yn iawn pam.

'Dwyt ti ddim yn gallu dod i 'nhŷ i o hyd,' meddai Belinda. 'Dwi'n sori, Bella, ond mae Mam yn dechrau holi beth sy'n bod.'

'Dwi'n gwybod,' ebychodd Isabel. Roedd hi wedi llwyddo i fynd i dŷ Belinda dair noson yn olynol ac wedi cael cawod yno, yn ddiolchgar am y llif o ddŵr poeth. Roedd hi wedi dweud wrth ei rhieni ei bod hi a Belinda'n gwneud cywaith. Ond roedd Belinda'n iawn. Allai hyn ddim parhau am byth.

Cyrhaeddodd y bws y goleuadau traffig a throi tua'r ffordd fawr. Roedd wyneb Belinda'n dangos yn amlwg ei bod hi'n meddwl yn ddwys. Roedd yr athrawon i gyd yn dweud pa mor glyfar oedd hi, nid yn unig achos ei bod hi'n gweithio'n galed, ond hefyd achos eich bod chi'n gallu gweld ei meddwl ar waith o edrych ar ei hwyneb. 'Ti'n dweud fod y bàth yn hen,' meddai o'r diwedd.

'Ydw?'

'Ti'n gwybod o ble gafodd dy rieni'r bàth?'

Meddyliodd Isabel. 'Ydw. Doeddwn i ddim efo nhw pan brynon nhw'r peth, ond mi ddaeth o le ar

Fforda Penarth. Dwi wedi bod yno efo nhw o'r blaen.'

'Felly pam nad ei di atyn nhw i holi amdano fo? Os oes ysbryd ynddo fo mae'n rhaid bod yna reswm. Mae wastad rheswm on'd does?'

'Ti'n meddwl . . . efallai fod rhywun wedi marw ynddo fo neu rywbeth?' Gyrrodd y syniad gryndod trwy gorff Isabel.

'Ydw. Cafodd Nain drawiad ar y galon yn y bàth. Ond wnaeth o ddim ei lladd hi . . .'

'Ti'n iawn!' Erbyn hyn roedd y bws yn dringo'r rhiw. Roedd Pentyrch yn syth o'u blaenau. Casglodd Isabel ei phethau. 'Allwn i fynd yno ddydd Sadwrn. Ddoi di hefyd?'

'Fyddai Dad a Mam ddim yn gadael i fi.'

'Gei di ddweud wrthyn nhw dy fod di acw. A ddyweda i wrth fy rhieni mod i draw efo ti.'

'Beth os holan nhw?'

'Dydyn nhw byth yn gwneud.' Roedd y syniad wedi gwneud Isabel yn drist. Doedd ei rhieni byth yn meddwl lle'r oedd hi, byth yn poeni amdani. Roedden nhw'n poeni gormod amdanyn nhw'u hunain.

'Wel . . . dwn i ddim . . .'

'Plîs, Belinda. Ffonia i di ddydd Sadwrn.'

Y noson honno, chwaraeodd y bàth ei dric gwaethaf eto.

Doedd Isabel ddim eisiau mynd i'r bàth. Yn ystod swper, roedd wedi gwneud pwynt o ddweud wrth ei rhieni pa mor flinedig oedd hi, a sut yr oedd hi'n edrych ymlaen at noson gynnar. Ond roedd ei rhieni wedi blino hefyd. Roedd yr awyrgylch o amgylch y bwrdd wedi bod yn eithaf pigog a chafodd Isabel ei hun yn meddwl am faint mwy y gallai'r teulu aros gyda'i gilydd. Ysgariad. Roedd yn air hyll, fel salwch. Roedd rhai o'i ffrindiau wedi bod i ffwrdd o'r ysgol am wythnos a phan fydden nhw'n dod 'nôl, bydden nhw'n welw a diflas a heb fod union yr un peth wedyn. Roedden nhw wedi bod yn dioddef o salwch melltigedig . . . ysgariad.

'Fyny'r grisiau, 'merch i!' Torrodd llais ei mam ar ei meddyliau. 'Dwi'n meddwl ei bod yn well i ti fynd i'r bàth . . .'

'Ddim heno, Mam.'

'Heno. Dwyt ti braidd wedi defnyddio'r bàth ers i ni'i roi i mewn. Beth sy'n bod arnat ti? Dwyt ti ddim yn ei hoffi?'

'Na. Dydw i ddim . . .'

Gwnaeth hynny'i thad yn flin. 'Beth sy' o'i le arno fo?' gofynnodd mewn hwyl wael.

Ond cyn iddi allu ateb, roedd ei mam wedi dechrau eto. 'Does dim ots beth sy' o'i le arno fo. Dyna'r unig fàth sydd yn y tŷ, felly mae'n well i ti ddechrau dod i arfer ag o.'

'Wna i ddim!'

Edrychodd ei rhieni ar ei gilydd am eiliad, heb wybod beth i'w wneud. Sylweddolodd Isabel nad oedd hi erioed wedi anufuddhau iddyn nhw o'r blaen – dim fel hyn. Doedden nhw ddim yn siŵr beth i'w wneud. Ond yna cododd ei mam. 'Tyrd, Isabel. Dwi wedi cael digon o'r ffwlbri yma. Dwi'n dod efo ti.'

Ac felly aeth y ddwy ohonyn nhw i fyny'r grisiau, Susan yn gwisgo'r olwg benderfynol ar ei hwyneb a olygai nad oedd unrhyw bwynt dadlau. Ond wnaeth Isabel ddim dadlau. Os byddai ei mam yn rhedeg y bàth, byddai'n gweld drosti hi'i hun beth oedd yn digwydd. Byddai hi'n gweld fod rhyw-beth o'i le . . .

'Iawn . . .' Gwthiodd Susan y plwg i mewn a throi'r tapiau. Llifai'r dŵr glan arferol allan. 'Dwi wir ddim yn dy ddeall di, Isabel,' ebychodd uwchben sŵn y dŵr. 'Efallai dy fod di wedi cael aros ar dy draed yn rhy hwyr. Roeddwn i'n meddwl mai dim ond plant chwech oed oedd ddim yn hoffi mynd i'r bàth. Dyna ni!' Roedd y bàth yn llawn. Profodd Susan yn dŵr, gan ei droelli gyda phen ei bys. 'Ddim yn rhy boeth. Rŵan gad i ni dy weld di'n mynd i mewn.'

'Mam . . .'

'Dwyt ti ddim yn swil o 'mlaen i, wyt ti? Er mwyn y nefoedd . . .!'

Yn flin ac yn teimlo'n fach, tynnodd Isabel ei dillad o flaen ei mam, gan adael i'r dillad ddisgyn yn bentwr ar y llawr. Cododd Susan y dillad heb ddweud dim byd. Cododd Isabel un goes dros ochr y bàth a gadael i fysedd ei thraed gyffwrdd â'r dŵr. Roedd yn boeth, ond ddim yn ferwedig. Yn bendant doedd o ddim yn oer fel iâ.

'Ydy o'n iawn?' gofynnodd ei mam.

'Ydy, Mam . . .'

Aeth Isabel i mewn i'r bàth. Cododd y dŵr yn awchus i'w chyfarfod. Gallai'i deimlo'n cau mewn cylch perttaith o amgylch ei gwddf. Safai ei mam yno am eiliad, yn dal ei dillad. 'Alla i fynd rŵan?' gofynnodd.

'Cewch.' Doedd Isabel ddim eisiau bod ar ei phen ei hun yn y stafell molchi, ond teimlai'n anghyfforddus yn gorwedd yno gyda'i mam yn hofran uwch ei phen.

'Iawn.' Meddalodd Susan am eiliad. 'Fe ddof i fyny i roi cusan nos da i ti.' Daliodd y dillad i fyny a chrychu'i thrwyn. 'Mae'n well i'r rhain fynd i'r golch hefyd.'

Aeth Susan.

Gorweddai Isabel yno ar ei phen ei hun yn y dŵr poeth, yn ceisio ymlacio. Ond roedd yna gwlwm yn ei stumog ac roedd ei chorff i gyd yn galed, yn ceisio peidio â gorfod cyffwrdd yn ochrau metal y bàth. Clywodd ei mam yn mynd yn ôl i lawr y grisiau. Agorodd ei mam ddrws y peiriant golchi. Trodd Isabel ei phen fymryn, ac am y tro cyntaf gwelodd hi'i hun yn y drych. A'r tro hwn fe sgrechiodd hi.

A sgrechian.

Yn y bàth, roedd popeth fel arfer, yn union fel yr oedd pan adawodd ei mam. Dŵr clir. Ei chroen ychydig yn binc yn y gwres. Stêm. Ond yn y drych, yn yr adlewyrchiad . . .

Lladd-dy oedd y stafell molchi. Roedd yr hylif yn y bàth yn goch tywyll ac roedd Isabel hyd at ei gwddf yn y peth. Wrth i'w llaw – adlewyrchiad ei llaw – ymestyn o'r bàth, glynai hylif coch arni, yn diferu i lawr yn drwm, gan dasgu yn erbyn ochr y bàth a glynu at hwnnw hefyd. Ceisiodd Isabel dynnu'i hun allan o'r bàth, ond llithrodd a disgyn, a'r dŵr yn codi uwchben ei gên. Cyffyrddodd y dŵr ei gwefusau a sgrechiodd eto, yn siŵr ei bod hi'n mynd i gael ei sugno i mewn iddo a marw. Rhwygodd ei llygaid i ffwrdd o'r drych. Rŵan, dim ond dŵr oedd yno. Yn y drych . . .

Gwaed.

Roedd hi wedi'i gorchuddio ganddo, ac yn nofio ynddo. Ac roedd rhywun arall yn y stafell. Ddim yn y stafell, ond yn adlewyrchiad y stafell. Dyn tal, yn ei bedwar degau, wedi'i wisgo mewn rhyw fath o siwt, wyneb llwyd, mwstas a llygaid main, bach.

'Ewch o 'ma!' gwaeddodd Isabel. 'Ewch i ffwrdd! Ewch i ffwrdd!'

Pan ddaeth ei mam o hyd iddi yn ei chwrcwd ar y llawr mewn pwll enfawr o ddŵr, yn noeth ac yn crynu, ni cheisiodd Isabel egluro. Siaradodd hi ddim hyd yn oed. Gadawodd i'w hun gael ei hanner cario i'r gwely a chuddiodd ei hun, fel plentyn bychan, o dan y dillad.

Am y tro cyntaf, roedd Susan Martin yn poeni'n fwy nag yr oedd hi'n flin. Y noson honno, eistedd-odd i lawr gyda Jeremy ac roedd y ddau ohonyn nhw'n agosach nag y buont ers amser wrth iddyn nhw drafod eu merch, ei hymddygiad, yr angen efallai am ryw fath o therapi. Ond siaradon nhw ddim am y bàth – a pham ddylen nhw? Pan ruthrodd Susan i mewn i'r stafell molchi, welodd hi ddim byd yn bod ar y dŵr, dim byd yn bod ar y drych, dim byd yn bod ar y bàth.

Na, roedd y ddau'n cytuno. Roedd rhywbeth yn bod ar Isabel. Doedd o'n ddim i'w wneud efo'r bàth.

Safai'r siop hen bethau ar Ffordd Penarth, ychydig funudau o gerdded o'r arhosfan bws. O'r tu blaen, edrychai fel tŷ crand a allai fod wedi perthyn i deulu cyfoethog ryw ganrif yn ôl efallai. Drysau tal, bygythiol, caead ar y ffenestri, colofnau carreg gwyn a darnau mawr o gerfluniau hwnt ac yma ar y palmant y tu allan. Ond dros y blynyddoedd roedd golwg y lle wedi gwaethygu, y gwaith plaster yn disgyn i ffwrdd, chwyn yn ymddangos rhwng y craciau yn y briciau. Roedd llwch bywyd y ddinas a mwg cerbydau wedi tywyllu'r ffenestri.

Y tu fewn, roedd y stafelloedd yn fach ac yn dywyll – pob un wedi'u llenwi â gormod o ddodrefn. Pasiodd Belinda ac Isabel trwy stafell â phedwar lle tân ar ddeg, un arall â hanner dwsin o fyrddau cinio a llu o gadeiriau gweigion. Pe na bydden nhw'n gwybod bod yr holl gelfi hyn ar werth, gallen nhw'n hawdd fod wedi dychmygu fod yna wallgofddyn cyfoethog iawn yn byw yno. Roedd yn dal yn fwy o dŷ nag o siop. Pan siaradai'r ddwy ferch â'i gilydd, sibrwd fydden nhw.

O'r diwedd daethon nhw o hyd i weithiwr y siop yn yr iard yng nghefn y tŷ. Roedd hon yn ardal fawr, agored, wedi'i llenwi â bàthau o bob maint, mwy o gerfluniau, ffynhonnau carreg, giatiau metal a gwaith trelis – a rhes o fwâu carreg o amgylch y cyfan a wnâi iddyn nhw deimlo fel pe baen nhw yn Rhufain neu Fenis yn lle rhyw hen gornel ddiflas o Gaerdydd. Dyn ifanc oedd y gweithiwr, gyda llygad tro a thrwyn wedi'i dorri. Cariai benddelw. Doedd Isabel ddim yn siŵr pa un o'r ddau oedd hyllaf.

'Bàth Fictoraidd?' mwmialodd mewn ateb i gwestiwn Isabel. 'Dwi ddim yn meddwl y galla i'ch helpu chi. Rydyn ni'n gwerthu llawer iawn o'r rheiny.'

'Mae'n fawr ac yn wyn,' meddai Isabel. 'Gyda choesau bach a thapiau aur . . .'

Rhoddodd y gweithiwr y penddelw i lawr. Clonciodd yn drwm yn erbyn carreg pafin. 'Ydy'r dderbynneb ganddoch chi?' gofynnodd.

'Na.'

'Wel . . . beth ddywedoch chi oedd enw'ch rhieni?'

'Martin. Jeremy a Susan Martin.'

'Ddim yn canu cloch . . .'

'Maen nhw'n ffraeo llawer. Mae'n siŵr eu bod nhw wedi ffraeo am y pris.'

Lledodd gwên araf ar hyd wyneb y gweithiwr. Oherwydd y ffordd yr oedd ei wyneb ar dro, edrychai'r wên yn rhyfedd o fygythiol. 'Ydw, dwi yn cofio,' meddai. 'Wedi mynd rhywle i ogledd Caerdydd.'

'Pentyrch,' meddai Isabel.

'Dyna ni.' Lledodd y wên ar draws esgyrn ei fochau. 'Dwi yn cofio. Nhw gafodd fàth Marlin.'

'Beth yw bàth Marlin?' gofynnodd Belinda. Doedd hi'n barod ddim yn hoffi sŵn yr enw.

Chwarddodd y gweithiwr iddo'i hun. Tynnodd becyn o ddeg sigarét a chynnau un. Ymddangosai'n amser hir cyn iddo siarad eto. 'Jacob Marlin. Fo oedd perchennog y bàth. Mae'n siŵr nad ydych chi erioed wedi clywed amdano fo.'

'Na,' meddai Isabel yn ddiamynedd.

'Roedd o'n enwog yn ei ddydd.' Chwythodd y gweithiwr fwg llwyd i'r awyr. 'Cyn iddyn nhw'i grogi o.'

'Pam grogon nhw fo?' gofynnodd Isabel.

'Llofruddiaeth. Roedd o'n un o'r . . . beth o'ch chi'n eu galw nhw . . . llofruddwyr bwyell Oes Fictoria. O, ie . . .' Gwenai'r gweithiwr o glust i glust erbyn hyn, yn mwynhau'i hun. 'Roedd o'n arfer mynd â merched ifanc adre efo fo – rhywbeth fel Jack the Ripper. Chi'n gwybod beth dwi'n feddwl? Byddai Marlin yn cael gwared arnyn nhw . . .'

'Eu lladd nhw 'dych chi'n feddwl?' sibrydodd Belinda.

'Dyna'n union beth dwi'n feddwl. Byddai o'n eu lladd nhw a'u torri nhw'n ddarnau efo bwyell. Yn y bàth.' Sugnodd y gweithiwr ei sigarét. 'Dwi ddim yn dweud ei fod o wedi ei wneud o yn yr union fàth yna, cofiwch. Ond allan o'i dŷ foy daeth y bath. Dyna pam ei fod mor rhad. Mae'n siŵr y byddai wedi bod yn rhatach fyth tasai dy dad a dy fam wedi gwybod . . .'

Trodd Isabel a cherdded allan o'r siop hen bethau. Dilynodd Belinda hi. Yn sydyn, ymddangosai'r lle yn ofnadwy a bygythiol, fel petai pob un peth a welen nhw yn cuddio rhyw fath o sloil y tu ôl iddo. Dim ond pan oedden nhw allan ar y ffordd y stopion nhw i siarad, ynghanol sŵn a lliw'r traffig.

'Mae'n erchyll!' ebychodd Belinda. 'Roedd o'n torri pobol yn y bath, a ti . . .' Allai hi ddim gorffen y frawddeg.

'Dwi'n difaru dod.' Roedd Isabel yn agos at ddagrau. 'Ddylen nhw ddim fod wedi prynu'r hen horwth hyll.'

'Os dwedi di wrthyn nhw . . .'

'Wrandawan nhw ddim arna i. Dydyn nhw byth yn gwrando arna i.'

'Felly beth wyt ti'n mynd i'w wneud?' gofynnodd Belinda.

Meddyliodd Isabel am eiliad. Gwthiai pobl heibio ar y palmant. Roedd y marchnatwyr wrthi'n gwerthu'u nwyddau. Arhosodd dau heddwas am eiliad i edrych ar ychydig o afalau. Roedd yn fyd gwahanol i'r byd yr oedden nhw wedi'i adael ar ôl yn y siop hen bethau. 'Dwi'n mynd i'w ddinistrio fo,' meddai o'r diwedd. 'Dyna'r unig ffordd. Dwi'n mynd i'w dorri fo'n ddarnau. A gall fy rhieni wneud beth bynnag a fynnan nhw . . .'

Dewisodd dyndro o focs offer ei thad. Roedd yn fawr, a gallai'i ddefnyddio i falu ac i ddadsgriwio. Doedd ei thad na'i mam ddim adre. Roedden nhw'n meddwl ei bod hi draw efo Belinda. Roedd hynny'n dda. Erbyn iddyn nhw gyrraedd adref byddai'r cyfan ar ben.

Roedd rhywbeth yn gysurus iawn ynglŷn â'r offeryn, oerfel y dur yn erbyn cledr ei llaw, y ffordd y pwysai mor drwm. Yn araf, dringodd y grisiau, yn dychmygu'n barod beth oedd yn rhaid iddi'i wneud. Fyddai'r tyndro ddigon cryf i falu'r bàth? Neu a fyddai ddim ond yn ei anffurfio gymaint nes y byddai'i rhieni'n gorfod cael gwared ohono? Fyddai dim ots y naill ffordd neu'r llall. Roedd hi'n gwneud y peth iawn. Dyna'r cyfan y poenai amdano.

Roedd drws y stafell molchi ar agor. Roedd hi'n siŵr ei fod ar gau pan edrychodd hi ddim ond funudau ynghynt. Ond doedd dim ots am hynny chwaith. Aeth i mewn i'r stafell molchi, gan daflu'r tyndro o un llaw i'r llall.

Roedd y bàth yn barod amdani.

Roedd wedi llenwi'i hun i'r ymylon efo dŵr poeth – dŵr berwedig â barnu oddi wrth faint y stêm. Roedd ager yn gorchuddio'r drych yn llwyr. Daeth awel oer o'r drws i gyffwrdd y gwydr a diferodd dŵr i lawr. Cododd Isabel y tyndro. Gwenai ychydig yn greulon. Yr un peth na allai'r bàth ei wneud oedd symud. Gallai ei herio hi a chodi ofn arni ond rŵan roedd yn rhaid iddo eistedd yna a derbyn beth bynnag fyddai'n dod i'w ran.

Estynnodd allan gyda'r tyndro a thynnu'r plwg allan.

Ond doedd y dŵr ddim yn gadael y bàth. Yn hytrach, llifai rhywbeth coch a thrwchus allan o dwll y plwg ac arnofio i fyny trwy'r dŵr.

Gwaed.

Gyda'r gwaed fe ddaeth cynrhon – cannoedd ohonyn nhw, yn dad-gordeddu'u hunain allan o'r rhwyll a chwarae'n wirion yn y dŵr. Rhythodd

Isabel yn llawn arswyd, yna cododd y tyndro. Roedd y dŵr, a'r gwaed ynddo, yn llifo dros yr ochrau erbyn hun a thywallt ar y llawr. Tarodd yr awyr â'r tyndro a theimlo'i chorff i gyd yn ysgwyd wrth i'r metel gloncian i mewn i'r tapiau a thorri'r O yn Oer ac ysgwyd y pibau.

Cododd y tyndro, ac wrth iddi wneud, gwelodd y peth yn y drych. Roedd yr adlewyrchiad yn aneglur oherwydd y llen o stêm, ond y tu ôl iddo gallai weld siâp arall, siâp y gwyddai na fyddai'n ei weld yn y stafell molchi. Cerddai dyn tuag ati fel pe bai'n cerdded i lawr coridor hir, yn anelu at y gwydr a oedd yn gorchuddio'r pen draw.

Jacob Marlin.

Teimlai'i lygaid yn llosgi i mewn iddi a phendroni beth fyddai hi'n ei wneud pan gyrhaeddai'r dyn y drych a ymddangosai fel mur rhwng ei fyd o a'i byd hi.

Anelodd ergyd gyda'r tyndro – eto ac eto. Plygodd y tap, yna torrodd gyda'r ail ergyd. Llifodd dŵr allan gyda gwaedd annaearol. Rŵan trodd ei sylw at y bàth ei hun, a rhoi hyrddiad nerthol i'w ochr gan gracio'r enamel gydag un ergyd. Tolciodd y metal gyda'r ergyd nesaf. Un edrychiad arall dros ei hysgwydd, a gwyddai fod Marlin yn agosáu ac yn gwthio'i ffordd tua'r stêm. Gallai weld ei ddannedd, yn frown ac yn finiog, a chig ei ddannedd yn y golwg wrth i'w wefusau gulhau mewn gwên o gasineb pur. Anelodd ergyd eto a gweld – yn anghrediniol – ei bod wedi torri tu mewn i'r bàth fel plisgyn wy. Llifai dŵr coch dros ei choesau a'i thraed. Taflwyd cynrhon mewn dawns feddw dros lawr y stafell molchi, yn llithro i graciau a gwingo ynó heb allu gwneud dim. Pa mor agos oedd Marlin? Allai o basio trwy'r drych? Cododd y tyndro am y tro olaf a sgrechian wrth i bâr o ddwylo dyn ddisgyn ar ei hysgwyddau. Llithrodd y tyndro allan o'i llaw a disgyn i'r bath a diflannu i'r dŵr tywyll. Roedd y dwylo wrth ei gwddw erbyn hyn, yn ei thynnu'n ôl. Sgrechiodd Isabel a tharo ergyd, ei hewinedd yn anelu at lygaid y dyn.

Doedd ond braidd digon o amser iddi sylweddoli nad Marlin oedd y dyn oedd yn ei dal, ond ei thad. Safai ei mam yn y drws, yn rhythu â llygaid yn llawn ofn. Teimlai Isabel ei holl nerth yn llifo ohoni fel dŵr allan o fàth. Roedd y dŵr yn glir unwaith eto, wrth gwrs. Roedd y cynrhon wedi mynd. Oedden nhw erioed wedi bod yno? Oedd ots? Dechreuodd chwerthin.

Roedd hi'n dal i chwerthin hanner awr yn ddiweddarach pan lenwodd sŵn seirenau'r stafell a'r ambiwlans yn cyrraedd.

Doedd pethau ddim yn deg.

Gorweddai Jeremy Martin yn y bàth yn meddwl am ddigwyddiadau'r chwe wythnos diwethaf. Roedd yn anodd peidio â meddwl amdanyn nhw – yma, wrth edrych ar y tolciau a wnaeth ei merch gyda'r tyndro. Roedd y tapiau bron â bod wedi cael eu dinistrio'n llwyr. Roedden nhw erbyn hyn yn diferu drwy'r amser.

Roedd wedi gweld Isabel ychydig ddiwrnodau ynghynt ac roedd hi'n edrych yn llawer gwell. Doedd hi'n dal ddim yn siarad ond byddai'n amser hir cyn y byddai hynny'n digwydd, medden nhw. Doedd neb yn gwybod pam ei bod wedi penderfynu ymosod ar y bàth – efallai ei bod dan ddylanwad yr hen ffrind tew yna oedd ganddi a bod gormod o ofn arni i ddweud. Yn ôl yr arbenigwyr, effeithiau straen oedd y cyfan. Salwch straen trawmatig. Wrth gwrs roedd ganddyn nhw eiriau ffansi ar y peth. Yr hyn yr oedden nhw'n ei feddwl oedd mai bai ei rhieni oedd y cyfan. Roedden nhw'n ffraeo. Roedd yna dyndra yn y tŷ. Doedd Isabel ddim wedi llwyddo i ymdopi ac roedd wedi dychmygu rhyw ffantasi yn ymwneud â'r bàth.

Mewn geiriau eraill, ei fai o oedd y cyfan.

Ond a oedd hynny'n wir? Wrth iddo orwedd yn y dŵr meddal, poeth gydag arogl olew bàth pîn yn codi i'w ffroenau, meddyliodd Jeremy Martin yn hir ac yn galed. Nid ef oedd yr un oedd yn dechrau'r ffraeo. Susan oedd yr un. O'r diwrnod y priodon nhw, roedd hi wedi mynnu . . . wel, ei newid o. Roedd hi o hyd yn pigo arno. Roedd o fel yr hen ffugenw 'na yn yr ysgol. Llygoden. Doedden nhw byth yn ei gymryd o ddifri. Doedd hi ddim yn ei gymryd o ddifri. Wel, fe gaiff hi weld.

Wrth orwedd yn ôl gyda stêm o'i gwmpas i gyd, teimlodd Jeremy'i hun yn hedfan i ffwrdd. Am deimlad braf! Byddai'n dechrau gyda Susan. Yna roedd rhyw ddau fachgen yn ei ddosbarth Ffrangeg. Ac wrth gwrs, y prifathro.

Gwyddai'n iawn beth oedd yn mynd i'w wneud. Roedd wedi'i weld y bore hwnnw mewn siop hen bethau yn y Rhath. Roedd yn edrych yn debyg mai un Fictoraidd oedd o. Trwm, gyda charn pren, llyfn a phen cadarn, miniog.

Ia. Byddai'n mynd allan i'w brynu y bore canlynol. Yr union beth oedd ei angen arno. Bwyell Fictor-aidd dda . . .

Ydych chi am fentro i
ryfeddod byd ofnadwy
Anthony Horowitz!?

£3.99

ISBN 978-1-904357-17-9

Mae Gari'n casáu cefn gwlad. Mae'n ddiflas yno. Ond mae Gari o dan fygythiad. Efallai fod cefn gwlad yn ei gasáu e hefyd.

Mae Kevin wrth ei fodd â gêmau cyfrifiadur, ond mae'r un ddiweddaraf yn torri'r holl reolau ac yn poeni dim am neb . . .

Mae Hari wedi cael damwain angheuol ond ai i'r nefoedd . . . neu i uffern y bydd e'n mynd?

Tair stori sinistr gan feistr y straeon arswyd.

www.rily.co.uk

£3.99

ISBN 978-1-904357-20-9

Mae Wncwl Nigel yn benderfynol o gael lliw haul. Ond mae Tim yn credu bod rhywbeth rhyfedd ar waith pan mae croen ei ewythr yn dechrau llosgi a'i ymennydd yn dechrau ffrio.

Ar ôl i Bart brynu clust mwnci hud mewn marchnad ym Marrakesh, mae e'n canfod bod gwneud dymuniadau'n rhywbeth peryglus . . .

Mae'n bosib i ddymuniad ddod yn wir . . .

Tair stori arswyd i godi gwallt eich pen.

www.rily.co.uk

£3.99

ISBN 978-1-904357-18-6

Mae Matthew wrth ei fodd gyda'r camera a brynodd yn y sêl cist car, nes iddo ddechrau sylweddoli fod popeth y mae'n tynnu ei lun yn torri . . . neu'n marw.

Mae Henri'n darganfod yn fuan fod gan ei gyfrifiadur ei feddwl ei hun, ac nid yw'r peiriant yn ofni hapchwarae – gyda bywydau pobl!

Dwy stori arswyd fydd yn eich cadw'n effro drwy'r nos.

www.rily.co.uk

Noson Calan Gaeaf, ac mae'r teithwyr ar y bws
bron â marw eisiau mynd adref . . .

Wrth i'w dad godi ffawdheglwr ar y ffordd, mae Jacob
yn ei ddarganfod ei hun rhwng byw a marw.
Mae gan rywun gyfrinach farwol.

A phwy yw'r dyn â wyneb melyn yn llun bach Simon
– achos nid Simon sy'n y llun . . . nage?

Tair stori arswydus y byddwch chi'n difaru eu darllen.